NARRACIONES ESPAÑOLAS
PARA ESTUDIANTES EXTRANJEROS

NIVEL ELEMENTAL

JUAN D. LUQUE DURAN

NARRACIONES ESPAÑOLAS
PARA ESTUDIANTES EXTRANJEROS

NIVEL ELEMENTAL

SOCIEDAD GENERAL ESPAÑOLA DE LIBRERÍA, S. A.

Primera edición, 1988
Segunda edición, 1989
Tercera edición, 1990

ISBN: 84-7143-377-X
Depósito Legal: M. 16.906-1990
Impreso en España / *Printed in Spain*

Imprime: NUEVA IMPRENTA, S. A.
Encuaderna: F. MÉNDEZ

INTRODUCCION

Las 50 historias que contiene este libro están pensadas para los estudiantes de español que poseen unos conocimientos limitados de gramática y vocabulario.

Se ha procurado que el texto sirva de ayuda al alumno para comprender no sólo las palabras, sino también algunos giros y expresiones de uso muy frecuente en la lengua, que en número limitado se han incluido en las historias. Cuando el contexto podría parecer insuficiente, se han añadido aclaraciones a pie de página.

El profesor podrá hacer diversos ejercicios de comprensión, repetición, lectura, escritura, etc., que crea convenientes. Hemos añadido algunas preguntas después de cada historia como muestra de las que se pueden hacer sobre cada una de éstas.

1

Un día estaba Tobías en la plaza, esperando el autobús, cuando se le acercó un muchacho muy joven que le dijo:

—Por favor, ¿puede usted darme fuego?

—Enciende del mío—le dijo Tobías, sin quitarse el cigarrillo de la boca.

El muchacho, *a pesar de* sus esfuerzos, no pudo llegar con su cigarrillo al de Tobías porque éste era bastante alto. Al fin, *tras* inútiles esfuerzos, dijo:

—Lo siento, señor; pero no alcanzo a su cigarrillo. ¿Puede bajarlo un poco, por favor?

—Más lo siento yo—respondió Tobías—; cuando *crezcas* lo suficiente y consigas <u>*alcanzar,*</u> entonces podrás fumar.

---

a pesar de = aun con, incluso con.
tras = después de.
crezcas = presente de subjuntivo del verbo irregular *crecer.*
alcanzar = llegar a.

1.—¿Dónde estaba Tobías?

2.—¿Qué hacía en la plaza?

3.—¿Qué pasó entonces?

4.—¿Qué dijo el muchacho?

5.—¿Qué contestó Tobías?

6.—¿Qué hizo entonces el muchacho?

7.—¿Por qué no pudo encender su cigarrillo el muchacho?

8.—¿Qué dijo entonces el muchacho?

9.—¿Qué le contestó Tobías?

10.—¿Cuándo podría fumar el muchacho?

2

Una vez tuvo que ir Tobías a la ciudad a ver a un amigo suyo que estaba en el hospital. Era la primera vez que Tobías iba a la ciudad y se sorprendió mucho al ver las casas tan altas, los cines, los parques, los grandes almacenes, el gran número de coches que había por las calles y otras muchas cosas; pero lo que más le sorprendió al llegar al hotel fue ver por primera vez un ascensor. Con los ojos muy abiertos vio cómo entraba en el ascensor una señora anciana y gorda, se cerraban las puertas y *al rato se volvían a* abrir y salía una señorita joven y guapa.

Casi sin poder hablar, a causa de la sorpresa, Tobías dijo:

— ¡Qué pena! ; *si lo llego a saber* me traigo del pueblo a mi mujer.

al rato = poco después.
volver a (perífrasis) = repetir una acción.
si lo llego a saber = si lo hubiera sabido antes.

1.—¿Para qué fue Tobías a la ciudad?

2.—¿Qué pasó cuando Tobías fue a la ciudad?

3.—¿Había estado antes Tobías en la ciudad?

4.—¿Qué vio Tobías en la ciudad?

5.—¿Qué es lo que le sorprendió más de las cosas que vio?

6.—¿Dónde estaba el ascensor? .

7.—¿A quién vio Tobías entrar en el ascensor?

8.—¿A quién vio Tobías salir del ascensor?

9.—¿Qué dijo Tobías entonces?

10.—¿Por qué estaba Tobías tan sorprendido?

11.—¿Para qué hubiera traído Tobías a su mujer a la ciudad?

3

El teléfono sonó insistentemente a las cuatro de la mañana en la casa de los señores Sánchez. El señor Sánchez se despertó y aún *medio dormido,* encendió la luz, se levantó de la cama y fue a coger el teléfono, que estaba en la *habitación de al lado.*

—¿Diga?—preguntó el señor Sánchez cogiendo el teléfono.

—¿Es el hospital?—preguntó una voz desconocida.

—No, no es aquí—respondió el señor Sánchez—; se ha equivocado de número.

—Ah, perdone. ¡No sabe cuánto siento *haberle obligado a levantarse* a estas horas! —dijo la voz, disculpándose.

—No importa—dijo el señor Sánchez, aún medio dormido—, *de todas maneras* me tenía que levantar a coger el teléfono, porque con el ruido no podía dormir.

---

medio dormido = no completamente despierto.
habitación de al lado = habitación situada junto a la otra.
haberle obligado a levantarse = hacer que se levantara de la cama.
de todas maneras = de todas formas, en cualquier caso.

1.—¿Qué pasó en la casa de los señores Sánchez?

2.—¿A qué hora sonó el teléfono?

3.—¿Qué hizo el señor Sánchez?

4.—¿Dónde estaba el teléfono?

5.—¿Qué preguntaron por el teléfono?

6.—¿Quién preguntó?

7.—¿Qué contestó el señor Sánchez?

8.—¿Por qué se disculpó la persona desconocida?

9.—¿Qué contestó el señor Sánchez?

10.—¿Por qué se tenía que levantar de la cama el señor Sánchez?

4

Tobías tenía unos familiares *en el extranjero*. Un día recibió un telegrama de ellos en el que le decían que, como hacía tanto tiempo que no se veían, estaban deseando ir al pueblo para ver a Tobías y a su familia.

A los pocos días llegaron los familiares en un coche *último modelo* y al bajarse todo el mundo vio que iban lujosamente vestidos. La mujer y las hijas del familiar de Tobías llevaban numerosas joyas. Todo esto demostraba que en el extranjero habían trabajado mucho y habían ganado mucho dinero.

Al verlos llegar así, la mujer de Tobías le dijo en voz baja a su marido:

—A mí me parece que tus parientes no vienen a vernos, sino a que los veamos.

---

en el extranjero=en otra nación, viviendo en otro país.
último modelo=de fabricación muy reciente, coche muy nuevo.

1.—¿Dónde vivían los familiares de Tobías?

2.—¿Qué recibió Tobías un día?

3.—¿Qué decía el telegrama?

4.—¿Para qué querían ir al pueblo?

5.—¿Qué pasó al poco tiempo?

6.—¿En qué viajaban los familiares de Tobías?

7.—¿Cómo venían vestidos?

8.—¿Qué le dijo la mujer de Tobías a éste?

9.—¿Por qué dijo esto la mujer de Tobías?

10.—¿Qué habían hecho en el extranjero los familiares de Tobías?

5

El señor Santiago era un anciano de más de setenta años de edad, muy simpático y siempre estaba de muy buen humor, por esto tenía gran popularidad entre sus amigos y vecinos. Un día, un joven llamado Ramón, que estudiaba en la Universidad, pasó por un bar donde estaba el señor Santiago hablando con otros ancianos y le preguntó:

—Señor Santiago. ¿Por qué tiene usted la barba negra *y sin embargo* sus *cabellos* son blancos?

Todos los que estaban allí se quedaron sorprendidos por la pregunta del joven, porque efectivamente el abuelo Santiago tenía el pelo de un color y la barba de otro. El señor Santiago sonrió tranquilamente y contestó al joven:

—Muy fácil, hijo mío; porque mis pobres cabellos tienen veinte años más que los pelos de mi barba.

y sin embargo = pero.
cabello = pelo de la cabeza.

1.—¿Quién era el señor Santiago?

2.—¿Qué edad tenía?

3.—¿Quién era Ramón?

4.—¿Dónde estudiaba Ramón?

5.—¿Dónde encontró Ramón al señor Santiago?

6.—¿Con quién estaba el señor Santiago?

7.—¿Qué preguntó Ramón al señor Santiago?

8.—¿Por qué se sorprendieron todos los amigos del señor Santiago al oír la pregunta de Ramón?

9.—¿Qué contestó el señor Santiago?

10.—¿Por qué la barba del señor Santiago era de un color y el pelo de otro?

6

El señor Castillo, que era el médico del pueblo donde vivía Tobías, fue un día de visita a la casa de éste. La mujer de Tobías había tenido un niño recientemente y el médico quería preguntar por la salud de los dos. El médico trataba de hablar con Tobías, pero a causa de los lloros y gritos del niño casi no podían entenderse *entre sí*. *Como* era una persona muy educada, el señor Castillo no hizo ningún comentario durante más de diez minutos, pero finalmente no se pudo *aguantar* más y dijo, enfadado:

—¿Por qué no canta un poco su mujer para dormir al niño?

—Es que —respondió Tobías en tono de disculpa— los vecinos han decidido que prefieren oír llorar al niño.

entre sí = el uno con el otro.
Como = porque (a principio de frase).
aguantar = soportar, tener paciencia.

1.—¿Quién era el señor Castillo?

2.—¿A dónde fue una vez?

3.—¿Qué había pasado recientemente en la casa de Tobías?

4.—¿Por qué fue el médico a casa de Tobías?

5.—¿Qué hacía el hijo de Tobías?

6.—¿Por qué no podían entenderse el médico y Tobías?

7.—¿Cómo se llamaba el médico?

8.—¿Qué dijo finalmente el médico a Tobías?

9.—¿Qué contestó Tobías?

10.—¿Por qué preferían los vecinos oír llorar al niño?

7

En los restaurantes la gente deja el abrigo, el sombrero y el *paraguas* en la entrada. A veces hay personas que se aprovechan de ello y roban alguna de estas cosas sin que los dueños *se den cuenta*. Si los cogen robando se disculpan diciendo que se habían equivocado y no pasa nada.

Un domingo en un restaurante uno de los clientes que había acabado de comer cogió uno de los abrigos que había colgados junto a la puerta de entrada y se fue hacia la salida. En ese momento otro cliente, que estaba comiendo en una mesa cercana, se levantó rápidamente, se acercó a él y le preguntó amablemente:

—Perdone, ¿es usted el señor Tobías Delgado, por casualidad?

—No; lo siento, se ha *confundido* usted; yo me llamo Francisco Muñoz.

—Entonces—dijo el otro cliente—, como ese abrigo es del señor Tobías Delgado, que soy yo, haga el favor de dejarlo en su sitio.

paraguas = palabra que forma igual el singular que el plural.
confundir = equivocarse.
darse cuenta = notar, conocer, ver.

1.—¿Dónde deja la gente los abrigos y los paraguas en el restaurante?

2.—¿Qué hacen a veces los ladrones?

3.—¿Qué dice un ladrón si es sorprendido robando algo en un restaurante?

4.—¿Cómo se llamaba el señor que cogió el abrigo de Tobías?

5.—¿Por qué vio Tobías al ladrón?

6.—¿Qué hizo Tobías al ver al ladrón cogiendo su abrigo?

7.—¿Por qué se acercó Tobías al ladrón?

8.—¿Qué preguntó Tobías al ladrón?

9.—¿Qué contestó el ladrón?

10.—¿Qué dijo finalmente Tobías?

8

Una vez un joven fue a ver una película que le interesaba mucho. La sala del cine estaba casi llena y el joven encontró un asiento libre detrás de dos señoras ancianas que hablaban en voz alta. La película comenzó, pero las dos señoras *no paraban de hablar*. El joven no podía entender nada de la película, pero por educación se calló hasta que, por fin, no pudiendo aguantar más, les dijo tímidamente:

—Por favor, señoras, no puedo entender nada; si fueran ustedes tan amables...

—¿Cómo que no entiende nada?—contestó la mayor de las señoras indignada—. Debería de darle vergüenza, joven; nuestra conversación es privada.

no paraban de hablar = seguían hablando.

1.—¿Por qué fue el joven a ver la película?

2.—¿Dónde estaba sentado un joven en un cine?

3.—¿Cómo eran las señoras?

4.—¿Qué hacían todo el rato las señoras?

5.—¿Qué le ocurrió al joven?

6.—¿Por qué no decía nada?

7.—¿Qué les dijo a las ancianas por fin?

8.—¿Qué no entendía el joven?

9.—¿Qué le contestaron las señoras?

10.—¿Entendieron lo que quería decir el joven?

9

El señor Ruiz era un profesor de literatura muy famoso. Un día otro profesor de la Universidad, amigo suyo, lo invitó a cenar a su casa. El señor Ruiz no sabía dónde vivía su amigo y éste le escribió la dirección en un papel diciéndole en qué parte de la ciudad estaba su casa. Aquella noche el señor Ruiz se dirigió a casa de su amigo, pero era bastante difícil encontrarla. Al llegar a una calle vio que el nombre de ésta estaba muy alto y escrito en letra pequeña, y como era un poco *corto de vista* no podía leerlo.

Por esto se dirigió a un hombre que por allí pasaba y le pidió que tuviera la amabilidad de leerle el nombre de la calle.

El hombre se acercó, miró con atención, dio varias vueltas y finalmente le dijo al profesor con toda sinceridad:

—La verdad es que a mí me pasa lo mismo que a usted: tampoco sé leer.

corto de vista = que no puede ver con claridad a cierta distancia.

1.—¿Quién era el señor Ruiz?

2.—¿Quién le invitó un día?

3.—¿A qué lo invitó?

4.—¿Dónde enseñaba el señor Ruiz?

5.—¿Cuándo fue el señor Ruiz a la casa de su amigo?

6.—¿Por qué no podía leer el nombre de la calle?

7.—¿Cómo tenía la vista el señor Ruiz?

8.—¿A quién le pidió ayuda?

9.—¿Qué hizo el hombre al que pidió ayuda?

10.—¿Qué dijo el hombre?

10

Don Alonso era un anciano caballero muy preocupado por todas las cuestiones de limpieza. Una vez fue invitado a cenar a la casa de un antiguo amigo. Cuando se sentaron a la mesa, don Alonso, siguiendo su costumbre, cogió la servilleta y limpió el interior de la copa antes de que le echaran el vino.

La criada de la casa, creyendo que la copa del anciano no estaba lo suficientemente limpia, la cambió por otra nueva.

El anciano volvió a hacer lo mismo con la nueva copa mientras seguía hablando amablemente con los dueños de la casa. La criada, preocupada, volvió a cambiarle la copa por otra, perfectamente limpia.

El anciano, con voz enfadada, le dijo entonces:

—Jovencita, no *querrá* usted que yo le limpie todas las copas que hay en la casa, ¿verdad?

---

querrá = futuro irregular del verbo querer.

1.—¿Quién era don Alonso?

2.—¿Qué edad tenía?

3.—¿Por qué se preocupaba?

4.—¿A dónde fue invitado una vez?

5.—¿Qué pasó cuando se sentaron a la mesa?

6.—¿Con qué limpió el interior de la copa?

7.—¿Qué hizo entonces la criada?

8.—¿Qué volvió a hacer don Alonso?

9.—¿Por qué creyó la criada que don Alonso limpiaba las copas?

10.—¿Qué dijo don Alonso finalmente a la criada?

11

El señor y la señora Martínez van discutiendo por la calle:

— ¡En mi casa se hace lo que yo mando! ¿Lo sabes?—grita el señor Martínez.

—Entonces es que yo no existo, ¿no? ¿Es que no cuento para nada?—contesta enfadada la señora Martínez.

¡Tú lo has dicho! Tú no existes y te lo puedo demostrar en cualquier momento.

— ¡Bien, demuéstramelo! —grita la señora Martínez.

El señor Martínez llama a un taxi, que para junto a ellos, y le pregunta al taxista:

—Por favor, ¿cuánto costaría llevarme a mi casa en la calle de Cervantes número 38?

—*Unas* 50 pesetas—contesta el taxista.

—¿Y si voy acompañado de mi mujer?

—Lo mismo—responde, sorprendido, el taxista.

El señor Martínez se vuelve triunfante hacia su mujer y le dice:

—¿Lo ves? Tú no cuentas para nada.

Unas = aproximadamente.

1.—¿Qué hacían el señor y la señora Martínez?

2.—¿Qué dijo el señor Martínez?

3.—¿Qué contestó la señora Martínez?

4.—¿Qué quería demostrar el señor Martínez a su señora?

5.—¿A quién llamó el señor Martínez?

6.—¿Qué le preguntó al taxista?

7.—¿Cuánto costaba el viaje en taxi hasta la casa del señor Martínez?

8.—¿Dónde estaba la casa del señor Martínez?

9.—¿Cuánto costaba el viaje si iba la mujer también?

10.—¿Cómo quería demostrar el señor Martínez a su mujer que ella no contaba para nada?

12

Un domingo en que se jugaba un partido entre dos equipos de fútbol muy famosos, el portero que estaba recogiendo las entradas a la puerta del estadio, vio llegar a un niño de menos de diez años.

—¿Vienes solo?—preguntó el portero.

—Sí—respondió el niño—, pero tengo mi entrada.

El empleado, asombrado, lo dejó pasar, pero, lleno de curiosidad, le preguntó:

—¿Cómo vienes solo siendo tan pequeño? ¿Es que no le gusta el fútbol a tu padre?

—¡Claro que sí, le gusta muchísimo!

—Entonces, ¿dónde está? ¿Por qué no ha venido contigo?

—Pues porque se ha quedado en casa—respondió el niño— buscando como un loco su entrada para el partido.

1.—¿En qué día se jugaba el partido?

2.—¿Quién jugaba el partido?

3.—¿Qué hacía el empleado en la puerta del estadio?

4.—¿A quién vio llegar el empleado?

5.—¿Qué edad tenía el niño?

6.—¿Por qué se extrañó el empleado?

7.—¿Qué le preguntó al niño?

8.—¿Le gustaba el fútbol al padre del niño?

9.—¿Dónde estaba el padre del niño?

10.—¿Qué hacía el padre del niño?

13

Carlitos tenía siete años. Una vez sus padres lo llevaron a casa de unos amigos, los señores García. Estos no tenían niños y Carlitos, como no tenía nada que hacer, se aburría. La señora García *se dio cuenta* de esto y buscó algo para divertir al pequeño, pero como no tenía ningún juguete ni nada parecido que ofrecerle, lo llevó a una habitación donde había una radio para que al menos oyera música.

Carlitos no dijo nada y estuvo callado durante toda la tarde junto a la radio, pero cuando se despidieron, se acercó a su madre y le dijo en voz baja:

—Yo no quiero venir más a esta casa. La televisión está rota y se oye a la gente, pero no se la ve.

se dio cuenta = notar.

1.—¿Qué edad tenía Carlitos?

2.—¿A dónde lo llevaron sus padres?

3.—¿Cómo se llamaban los amigos de los padres de Carlitos?

4.—¿Tenían hijos los señores García?

5.—¿Por qué se aburría Carlitos?

6.—¿A dónde llevó la señora García a Carlitos?

7.—¿Qué había en la habitación adonde llevó a Carlitos?

8.—¿Qué hizo Carlitos durante toda la tarde?

9.—¿Qué le dijo Carlitos a su madre cuando salieron de la casa?

14

En una tarde de verano dos hippies decidieron ir a bailar.
Fueron al centro de la ciudad y encontraron una *sala de fiestas*
muy elegante. Cuando iban a entrar, el portero les impidió la entrada con estas palabras:

—Lo siento, pero para entrar aquí es necesario llevar corbata.

Los dos hippies, sin decir nada, se volvieron y fueron a unos
grandes almacenes cercanos. Un cuarto de hora más tarde volvieron los dos hippies a la sala de fiestas. Uno de ellos llevaba una
bonita corbata roja.

—Usted puede pasar—le dijo el portero al que llevaba la corbata—, pero su compañero, no.

—¿Mi compañero?—respondió el hippy—. ¡*Pero* si es mi
mujer!

sala de fiestas = night-club.
pero = uso redundante.

1.—¿Qué decidieron hacer los hippies?

2.—¿A dónde fueron?

3.—¿Dónde estaba la sala de fiestas?

4.—¿Cómo era la sala de fiestas?

5.—¿Qué hizo el empleado?

6.—¿Por qué no les dejó pasar?

7.—¿A dónde fueron entonces los hippies?

8.—¿Qué pasó un cuarto de hora más tarde?

9.—¿De qué color era la corbata?

10.—¿Qué les dijo el portero?

11.—¿Por qué un hippy no llevaba corbata?

15

Eran las seis de la tarde. A esta hora la gente sale de su trabajo en las oficinas y en las fábricas, coge su coche y si no, los auto-
buses públicos para volver a sus casas. En un autobús lleno de
gente todos los asientos estaban ocupados y un soldado iba sentado
en las rodillas de su compañero.

En una de las paradas subió al autobús una jovencita muy
guapa que pagó el billete y miró a todas partes buscando un
asiento vacío.

El soldado que llevaba a su compañero sentado encima le dio
unos golpes en la espalda para llamarle la atención y le dijo en
voz alta para que todo el mundo pudiera oírlo:

— ¡No seas mal educado, muchacho; levántate y deja tu asiento a esa señorita!

1.—¿Qué hora era?

2.—¿Qué pasa a esa hora todos los días?

3.—¿Cómo vuelve la gente a su casa después del trabajo?

4.—¿Qué hace la gente que no tiene coche?

5.—¿Dónde iba sentado el soldado?

6.—¿Por qué iba sentado en las rodillas de su compañero?

7.—¿Qué pasó en una parada del autobús?

8.—¿Qué hizo la jovencita al subir al autobús?

9.—¿Qué hizo entonces el soldado para llamar la atención de su compañero?

10.—¿Qué le dijo en voz alta?

16

Era ya de noche, y Juan, uno de los vecinos de Tobías, se dirigía a su casa; cuando pasaba por un sitio bastante oscuro se acercó a él un desconocido.

—Perdone—dijo el desconocido, que, *al parecer,* había bebido demasiado—. ¿Podría decirme dónde está Tobías?

Juan iba a informarle de la dirección de la casa de Tobías, pero fijándose con atención en el desconocido, se dio cuenta de que éste se parecía mucho al mismo Tobías, y le dijo:

—¿Pero tú eres Tobías o es que estás tan borracho que ni siquiera sabes quién eres?

— ¡*Claro que* sé quién soy! —respondió Tobías—. Yo lo único que quiero saber es dónde estoy.

al parecer = aparentemente.
Claro que = por supuesto, naturalmente, desde luego.

1.—¿Cuándo se dirigía a casa Juan, el vecino de Tobías?

2.—¿Por dónde pasaba?

3.—¿Qué vio?

4.—¿Qué hizo el desconocido?

5.—¿Qué preguntó el desconocido?

6.—¿Qué hizo entonces Juan, el vecino de Tobías?

7.—¿De qué se dio cuenta?

8.—¿Qué dijo Juan?

9.—¿Qué quería saber Tobías?

10.—¿Por qué no sabía Tobías dónde estaba?

17

El hijo mayor de Tobías no era un chico muy inteligente. Un día, después de tomar unos vasos de vino con su padre, le dijo *de pronto:*

—He decidido casarme, padre.

—¿Casarte, con quién?—preguntó sorprendido Tobías.

—Con Antoñita—respondió orgulloso el hijo de Tobías—, que es la chica más guapa del pueblo.

—¿Con Antoñita?—contestó Tobías—. ¡Pero estás loco! Esa chica…, ya sabes lo que se dice de ella en el pueblo. Hijo mío, esa chica ha tenido relaciones con todos los muchachos del pueblo. *Tú ya me entiendes…*

—Bien—respondió el futuro esposo—, eso ya lo sé y no me importa; tampoco hay tantos habitantes en este pueblo.

de pronto = repentinamente.
Tú ya me entiendes = tú sabes lo que quiero decir.

1.—¿Cómo era el hijo mayor de Tobías?

2.—¿Qué tomó junto con su padre?

3.—Después de beber, ¿qué le dijo al padre?

4.—¿Con quién quería casarse?

5.—¿Cómo contestó Tobías a la respuesta de su hijo?

6.—¿Cómo era la chica?

7.—¿Conocían a Antoñita los muchachos del pueblo?

8.—¿Sabía el hijo de Tobías cómo era Antoñita?

9.—¿Cuántos habitantes tenía el pueblo de Tobías?

18

La señora Cecilia quiso ir a visitar a sus nietos, que vivían en una ciudad situada a más de 500 km. de distancia de donde ella vivía. Como el viaje en coche o en tren era muy incómodo, sus hijos la convencieron para que hiciera el viaje en avión, porque era mucho más rápido y cómodo y en sólo una hora de viaje la señora Cecilia podría estar con su familia.

Era la primera vez que la anciana viajaba en avión y la pobre estaba muy asustada. La azafata la tranquilizó y dándole unos terrones de azúcar le dijo:

—Con esto no tendrá usted dolor de oídos durante el vuelo.

Al tomar tierra el avión, la azafata volvió a acercarse a ella y le dijo que cómo había pasado el viaje.

—No oigo nada—dijo la anciana—y no podré oír hasta que usted me dé permiso para sacarme el azúcar de los oídos.

1.—¿A dónde quería ir de viaje la señora Cecilia?

2.—¿Dónde vivía la familia de la anciana?

3.—¿Dónde era el viaje más incómodo?

4.—¿Por qué la convencieron sus hijos de que hiciera el viaje en avión?

5.—¿Cuánto duraba el viaje en avión?

6.—¿Por qué estaba asustada la señora Cecilia?

7.—¿Para qué le dio la azafata los terrones de azúcar?

8.—¿Qué le preguntó a la anciana al tomar tierra el avión?

9.—¿Qué le respondió?

10.—¿Para qué había usado el azúcar la anciana?

19

Era un día de invierno muy frío. La nieve cubría las calles y por eso el director de la oficina se sorprendió cuando al entrar en su despacho vio a uno de sus empleados llegar de la calle vestido solamente con un pantalón y una camisa de manga corta.

El director, extrañado, se le acercó y le dijo:

—¿Pero cómo es que ha salido usted a la calle en un día tan frío como hoy sin abrigo y sin jersey? ¿Es que no sabe usted que estamos en el mes de diciembre?

—Yo sí sé que estamos en el mes de diciembre—respondió el empleado—. Es usted el que, *por lo visto,* cree que estamos aún en el mes de agosto, porque a mí la última vez que me pagaron fue a finales del mes de julio.

por lo visto=al parecer, aparentemente.

1.—¿Cómo estaban las calles aquel día?

2.—¿Qué estación del año era?

3.—¿Cómo estaba vestido el empleado cuando llegó a la oficina?

4.—¿Cómo era su camisa?

5.—¿Cuándo vio el director al empleado?

6.—¿Qué dijo el director al verlo?

7.—¿Qué mes era?

8.—¿Qué respondió el empleado?

9.—¿Cuándo le pagaron al empleado por última vez?

10.—¿Cuántos meses habían pasado sin pagarle al empleado?

20

En verano, como hace mucho calor, en las ciudades donde no hay playa o río la gente suele ir a bañarse a las piscinas. En estas piscinas a veces se alquilan trajes de baño para las personas que no lo tienen.

Una vez una guapa jovencita fue a una piscina y en la entrada preguntó al portero:

—¿Cuánto cuesta bañarse?

—Ochenta pesetas, incluido el traje de baño—respondió el portero.

La jovencita no tenía mucho dinero y le parecía un poco caro el precio. Volvió a preguntar:

—¿Y sin traje de baño?

—Bueno, en ese caso, *por mí* puede usted entrar gratis—dijo sonriendo amablemente el portero—, pero le tengo que advertir que probablemente tendrá problemas con la policía.

---

por mí=en lo que depende de mí, por mi parte.

1.—¿Dónde se baña la gente en verano?

2.—¿A dónde va la gente a bañarse cuando no hay una playa cerca?

3.—¿Por qué se alquilan a veces trajes de baño?

4.—¿Qué preguntó la jovencita?

5.—¿A quién le preguntó?

6.—¿Qué respondió el portero?

7.—¿Qué preguntó entonces la señorita?

8.—¿Qué respondió el portero?

9.—¿Qué es entrar gratis?

10.—¿Por qué tendría la señorita problemas con la policía?

21

El día 30 de mayo era el cumpleaños de Tobías y por eso dio una cena en su casa, a la que invitó a un gran número de amigos y vecinos del pueblo.

Por la noche, cuando llegaban los invitados, Tobías los recibía en la puerta, les agradecía sus felicitaciones y los invitaba a pasar adentro. Al llegar el alcalde, Tobías lo saludó como a los demás y le dijo:

—Por favor, pase y tome usted asiento.

El alcalde, enfadado por lo que consideró una falta de respeto por parte de Tobías al no acompañarle a su asiento en el lugar más importante de la mesa, se dirigió a Tobías y le dijo muy indignado:

—Pero, ¿es que no se ha dado cuenta que soy el alcalde?

—Ah, perdone; entonces haga usted el favor de tomar dos asientos—respondió irónico Tobías.

1.—¿Cuándo era el cumpleaños de Tobías?

2.—¿A quién invitó Tobías?

3.—¿A qué los invitó?

4.—¿Cuándo era la cena?

5.—¿Qué hacía Tobías al llegar los invitados?

6.—¿Qué le dijo Tobías al llegar el alcalde a su casa?

7.—¿Por qué se indignó el alcalde?

8.—¿Qué le dijo el alcalde a Tobías?

9.—¿Qué respondió Tobías?

10.—¿Por qué le respondió así Tobías al alcalde?

22

Un profesor invitó a su casa a uno de sus más jóvenes alumnos. Como es normal en estos casos, el profesor le fue enseñando al joven las habitaciones de la casa una por una, hasta llegar finalmente a la biblioteca.

El profesor, que tenía gran cantidad de libros, esperaba del joven un comentario admirativo al ver el gran número de libros que allí había; pero el joven, después de mirar los libros un rato, dijo solamente:

—En mi casa también nos gusta mucho leer a todos y *sacamos* libros de la biblioteca pública, pero mi padre nos obliga a devolverlos después de haberlos leído.

sacar = tomar prestado.

1.—¿A quién invitó el profesor?

2.—¿Qué le enseñó al alumno?

3.—¿A dónde llegaron finalmente?

4.—¿Qué esperaba el profesor del alumno?

5.—¿Qué hizo el alumno en la biblioteca?

6.—¿De dónde tomaba prestados los libros?

7.—¿Por qué tomaba libros prestados?

8.—¿Qué hacía después de leerlos?

9.—¿Quién le obligaba a devolverlos?

10.—¿De quién eran los libros de la biblioteca del profesor?

23

Una bella señorita fue a pesarse en una báscula que había en unos grandes almacenes. Cogió una moneda, la metió en la máquina y vio con gran sorpresa el peso que indicaba la báscula que, al parecer, era mayor del que ella esperaba. Se quitó el abrigo y volvió a echar otra moneda. Se mostró aún algo sorprendida y se quitó los zapatos y el bolso, y de nuevo echó una moneda. Una vez más, sorprendida, empezó a buscar una moneda en su bolso, pero ya no tenía más monedas y la joven pareció desesperada. Un hombre que estaba mirándola se acercó rápidamente con una moneda en la mano, se la dio y le dijo:

—Siga usted insistiendo, señorita, todo mi dinero está a su disposición.

1.—¿A dónde fue a pesarse la señorita?

2.—¿Dónde estaba la báscula?

3.—¿Para qué necesitaba las monedas?

4.—¿Por qué se sorprendió la señorita al ver el peso que indicaba la báscula?

5.—¿Qué hizo entonces?

6.—¿Qué hizo la joven cuando no tenía más monedas en el bolso?

7.—¿Quién estaba observándola?

8.—¿Qué hizo el hombre?

9.—¿Qué le dijo el hombre a la señorita?

10.—¿Por qué le ofreció todo su dinero?

24

Una noche a Tobías lo invitó al teatro un amigo suyo que había recibido dos entradas gratis del autor de la obra.

La obra era muy mala y Tobías quiso salirse del teatro porque estaba aburrido, pero su amigo lo detuvo diciéndole:

—No podemos irnos porque el autor nos ha hecho el favor de darnos dos entradas gratis y tenemos que agradecérselo. No podemos hacer una cosa así.

Al poco rato Tobías volvió a levantarse y el amigo le preguntó:

—¿A dónde vas ahora?

—A comprar las entradas para poder irme—respondió Tobías.

1.—¿A dónde fue invitado Tobías?

2.—¿Quién lo invitó?

3.—¿Cómo había conseguido las entradas?

4.—¿Cómo era la obra?

5.—¿Qué intentó hacer Tobías?

6.—¿Por qué quiso Tobías salirse del teatro?

7.—¿Por qué lo detuvo su amigo?

8.—¿Qué le dijo?

9.—¿Qué hizo Tobías al poco rato?

10.—¿Qué le preguntó su amigo?

11.—¿Qué respondió Tobías?

25

Un campesino viejo fue a la estación de ferrocarril y se acercó a la ventanilla a comprar un billete diciendo simplemente:

—Déme un billete.

—¿A dónde va usted?—le preguntó el empleado.

—Pues, no sé, no recuerdo exactamente a dónde voy—dijo el anciano.

—Si no sabe el sitio adonde va, ¿cómo puedo darle el billete?

—Ah, por eso no se preocupe, no importa—respondió el campesino—, porque en la estación estará toda mi familia esperándome.

1.—¿A dónde fue el campesino?

2.—¿A dónde se acercó?

3.—¿Para qué se acercó a la ventanilla?

4.—¿A dónde quería ir el campesino?

5.—¿Cómo era el campesino?

6.—¿Con quién habló el campesino?

7.—¿Por qué no podía el empleado vender el billete?

8.—¿Quién esperaba al campesino en la estación?

26

Un señor que estaba esperando el autobús se acercó corriendo a un vendedor de periódicos, cogió uno, entregó una moneda de veinticinco pesetas y dijo:

—Rápido, por favor, *déme la vuelta* que se va el autobús.

El venderlo al darle el cambio se dio cuenta de que el señor había cogido uno de los periódicos que quedaban del día anterior.

—Oiga, señor—dijo amablemente el vendedor—, se debe de haber equivocado: el periódico que ha cogido es de ayer.

—No me importa, de todas maneras no me gusta leer en el autobús, para lo único que quiero el periódico es para no ver a las señoras que *van de pie* en el autobús y no tener que dejarles el asiento.

---

dar la vuelta = devolver el cambio del dinero.
ir de pie = estar de pie.

1.—¿Qué esperaba el señor?

2.—¿A dónde se acercó?

3.—¿Qué cogió?

4.—¿Cuánto dinero le dio al vendedor?

5.—¿Por qué tenía prisa?

6.—¿Qué hizo el vendedor?

7.—¿De qué día era el periódico?

8.—¿Le gustaba al señor leer el periódico en el autobús?

9.—¿Para qué quería el periódico?

27

Dos amigos decidieron ir de vacaciones a Africa Central para dedicarse durante varias semanas a cazar animales salvajes. Hicieron el viaje en avión hasta un lugar habitado que había en medio de la selva y desde allí siguieron el viaje andando en dirección a un río, donde esperaban encontrar muchos animales salvajes. Cuando iban caminando, oyeron de pronto el rugido de un león y mientras uno de los cazadores cogió su fusil con intención de matar al león, el otro, muy asustado, se subió al árbol que estaba más cerca.

Cuando estaba en una de las ramas más altas del árbol y no *corría peligro,* le gritó a su amigo:

—Si fallas el disparo y no matas al león, no te preocupes demasiado, porque veo que detrás viene el resto de la manada.

corer peligro = estar en peligro.

1.—¿A dónde decidieron ir de viaje dos amigos?

2.—¿Qué querían hacer durante las vacaciones?

3.—¿En qué hicieron el viaje?

4.—¿Desde dónde fueron andando?

5.—¿Qué esperaban encontrar en el río?

6.—¿Qué oyeron cuando iban caminando?

7.—¿Qué hizo uno de los cazadores?

8.—¿Por qué el otro se subió a un árbol?

9.—¿Dónde estaba cuando le gritó a su amigo?

10.—¿Qué le dijo?

11.—¿Quién venía detrás del león?

28

El señor Mendoza no tenía chófer porque le gustaba conducir a él mismo su automóvil. Una noche fue invitado a una fiesta muy elegante a la que iban solamente personas muy importantes y muy ricas.

Naturalmente, todos los invitados a la fiesta llegaron en sus lujosos coches, vestidos muy elegantemente. Y mientras los invitados estaban en la fiesta, los chóferes se quedaron esperando junto a los coches.

Cuando se terminó la fiesta y el señor Mendoza salía de la casa, uno de los criados se le acercó y le preguntó:

—Señor Mendoza, ¿quiere que llame a su coche?

—Llámelo si quiere—respondió el señor Mendoza—, pero dudo mucho que venga.

1.—¿Por qué no tenía chófer el señor Mendoza?

2.—¿A dónde fue invitado el señor Mendoza?

3.—¿Quién acudió a esa fiesta?

4.—¿En qué llegaron los invitados a la fiesta?

5.—¿Cómo iban vestidos los invitados?

6.—¿Qué hacían los chóferes mientras los invitados estaban en la fiesta?

7.—¿Qué pasó al terminar la fiesta?

8.—¿Qué preguntó uno de los porteros?

9.—¿Qué respondió el señor Mendoza?

29

Tobías fue de viaje a Francia para ver a su hermano Nicolás, que vivía allí desde hacía más de diez años.

Nicolás se había casado con una francesa y tenía tres hijos. Como Tobías no conocía ni a la mujer ni a los hijos, su hermano lo invitó a pasar unos días en su casa.

Los amigos del pueblo de Tobías temían que éste tuviera problemas en Francia porque no sabía hablar una palabra de francés. Por eso, al volver al pueblo le preguntaron si había podido entenderse con los franceses.

Tobías, muy serio, les dijo:

—Claro que me he entendido; yo hablo perfectamente el francés, que es el idioma más fácil que existe en el mundo; yo me montaba en el autobús y decía «um...» y me daban un billete. Iba al cine y decía «um...» y me daban la entrada. Iba al hotel y decía «um...» y me daban una habitación.

1.—¿A dónde fue de viaje Tobías?

2.—¿Por qué fue a Francia?

3.—¿Desde cuándo estaba Nicolás en Francia?

4.—¿Con quién se había casado Nicolás?

5.—¿Por qué invitó Nicolás a su hermano?

6.—¿Qué temían los amigos de Tobías?

7.—¿Por que temían que Tobías tuviera problemas en Francia?

8.—¿Qué les dijo Tobías al volver de viaje?

9.—¿Cómo hablaba Tobías el francés?

30

En un compartimento de 1.ª clase del tren viajaban cuatro personas: una señora con un hijo pequeño de *unos* ocho años, un hombre joven que leía un periódico y un señor mayor que estaba fumando y miraba el paisaje.

El pequeño miraba continuamente al señor que fumaba y parecía querer decir algo. De pronto comenzó a tirar de la mano de su madre e intentó decirle algo en voz baja.

—¿Cuántas veces te he dicho que hablar al oído es una falta de educación cuando hay personas delante?—le dijo la madre—. Lo que tengas que decir, dilo en voz alta.

El pequeño dudó un poco y por fin dijo:

—Mamá, ¿por qué ese hombre sentado ahí enfrente tiene una nariz tan grande y colorada?

unos = aproximadamente.

1.—¿Cuántas personas viajaban en el compartimento del tren?

2.—¿Quiénes eran?

3.—¿Qué hacía el hombre joven?

4.—¿Qué hacía el señor mayor?

5.—¿Qué miraba el pequeño?

6.—¿Qué hizo de pronto?

7.—¿Cómo intentó hablar con su madre?

8.—¿Qué le dijo su madre?

9.—¿Qué hizo entonces el pequeño?

10.—¿Qué dijo por fin?

31

Un hombre y un niño entraron en un restaurante muy caro que había en el centro de la ciudad, se sentaron en una mesa y pidieron al camarero una abundante comida de la mejor calidad.

El camarero les trajo lo que habían pedido y los dos se lo comieron con gran apetito. Cuando terminaron, el señor le dijo al chico en voz alta que esperara porque iba a salir un momento a comprar el periódico. El muchacho se quedó allí sentado durante más de una hora hasta que el camarero, viendo que el señor tardaba en volver le preguntó, extrañado, al chico:

—¿A dónde ha ido tu padre?

—Ese no es mi padre—respondió el muchacho.

—Entonces, ¿quién es?

—No sé—dijo el chico—, me lo encontré hace un rato en la calle y me dijo: «Vente conmigo que nos vamos a tomar una espléndida comida.»

1.—¿Quién entró en el restaurante?

2.—¿Dónde estaba el restaurante?

3.—¿Qué pidieron al camarero?

4.—¿Qué hizo el señor cuando acabó de comer?

5.—¿A dónde le dijo que iba?

6.—¿Qué hizo el camarero cuando pasó una hora y el hombre no había vuelto?

7.—¿Qué le preguntó al niño?

8.—¿Qué contestó el niño?

9.—¿Por qué había invitado el hombre a comer al niño?

10.—¿Era aquel hombre el padre del niño?

32

El día que decidió casarse Tobías fue a la iglesia para hablar con el cura. Este le preguntó cómo se llamaba, quiénes eran sus padres y el año en que había nacido. Tobías respondió a las primeras preguntas, pero a la última contestó que no lo sabía. El cura, sorprendido, le dijo:

—¿Cómo? ¿No sabes la edad que tienes? Eso es lo primero que aprende todo el mundo. Hasta los niños más pequeños saben cuántos años tienen.

—Yo, señor cura—respondió Tobías—, *llevo la cuenta* de mi dinero y de mis animales porque son cosas que me pueden quitar los ladrones, pero pienso que es una tontería preocuparse por *llevar la cuenta* de mis años porque nadie podrá quitármelos.

llevar la cuenta = contar, calcular.

1.—¿A dónde fue Tobías cuando decidió casarse?

2.—¿Con quién tuvo que hablar?

3.—¿Qué le preguntó el cura?

4.—¿Qué pregunta no sabía contestar Tobías?

5.—¿Qué le dijo el sacerdote a Tobías?

6.—¿Qué es lo que todo el mundo sabe, incluso los niños pequeños?

7.—¿Qué respondió Tobías?

8.—¿Por qué Tobías no se preocupaba de contar los años que tenía?

9.—¿Qué es lo que podían quitarle los ladrones a Tobías?

33

Un automóvil corría a gran velocidad por la carretera que había junto a la casa de Tobías. De pronto, el conductor del automóvil vio a un cerdo que estaba parado en medio de la carretera. El conductor trató de parar el automóvil, pero a causa de la gran velocidad no pudo parar a tiempo y atropelló al pobre animal.

El conductor salió rápidamente del coche y comprobó que el animal estaba medio muerto. El conductor iba a volver al automóvil para continuar su viaje cuando una idea le pasó por la cabeza; miró a un lado y a otro, no vio a nadie y rápidamente cogió al cerdo y lo metió en la parte de atrás del automóvil.

En ese momento apareció Tobías, que, escondido detrás de un árbol, había visto cómo habían atropellado a su cerdo y dijo:

—Eh, no me irá a decir que piensa llevarlo al hospital.

1.—¿Por dónde corría el coche?

2.—¿Conducía rápido o despacio?

3.—¿Qué pasó entonces?

4.—¿Por qué no pudo el conductor del automóvil parar el coche?

5.—¿Qué le pasó al pobre animal?

6.—¿Qué hizo el conductor?

7.—¿Qué idea le pasó por la cabeza?

8.—¿Dónde metió al cerdo?

9.—¿De dónde salió Tobías?

10.—¿De quién era el cerdo?

11.—¿Qué dijo Tobías?

34

La señora López era muy celosa y estaba siempre muy preocupada por su marido. A éste le gustaba mucho salir por las noches a beber en los bares y la señora López temía que, además de beber, se fuera con otras mujeres.

Una noche el señor López no vino a cenar y tampoco llegó más tarde, a la hora de acostarse. La señora López se preocupó mucho y llamó por teléfono a cinco de los amigos con los que su marido salía más frecuentemente para preguntar si estaba con ellos. Ninguno de los cinco estaba en casa en ese momento; y la señora López dijo a las criadas que le avisaran si tenían alguna noticia de su marido.

A la mañana siguiente, mientras que el marido, que había llegado muy tarde a casa, dormía aún tranquilamente, la señora López recibió una llamada de cada uno de los cinco amigos diciéndole que el señor López había estado por la noche en su casa.

1.—¿Cómo era la señora López?

2.—¿Qué hacía por la noche el señor López?

3.—¿Por qué estaba preocupada la señora López?

4.—¿Qué pasó una noche?

5.—¿Qué hizo la señora López?

6.—¿Estaban en casa los amigos del señor López?

7.—¿Qué pidió la señora López a las criadas?

8.—¿Cuándo llegó a casa el señor López?

9.—¿Qué pasó por la mañana?

10.—¿Por qué los cinco amigos dijeron que el señor López había pasado la noche en su casa?

35

Alfonso, el hijo mayor de Tobías, tenía siete hermanos. Al nacer cada uno de ellos, la maestra de la escuela le había dado un día libre a Alfonso para que ayudara a sus padres en la casa. Alfonso, naturalmente, se ponía muy contento porque no tenía que ir a la escuela.

Una vez la madre de Alfonso tuvo dos niños al mismo tiempo. Alfonso se alegró mucho de tener dos nuevos hermanitos y fue inmediatamente a la escuela a decírselo a la maestra. A la vuelta de la escuela su padre le preguntó:

—¿Le has dicho a la maestra que tienes dos hermanos gemelos?

—No—respondió Alfonso—, le he dicho solamente que mamá me había traído un hermanito. El otro *me lo guardo para la semana que viene.*

---

me lo guardo para la semana que viene=no diré que tengo otro hermano hasta la semana próxima.

1.—¿Quién era Alfonso?

2.—¿Cuántos hermanos tenía?

3.—¿Qué pasaba cuando nacía un nuevo hermanito?

4.—¿Para qué le daba un día libre la profesora de la escuela a Alfonso?

5.—¿Por qué se alegraba Alfonso cuando tenía un hermanito?

6.—¿Qué pasó una vez?

7.—¿A dónde fue Alfonso?

8.—¿Qué le preguntó Tobías a su hijo?

9.—¿Qué respondió Alfonso?

10.—¿Por qué no le había dicho Alfonso a la profesora que su madre había tenido gemelos?

36

Una mañana Tobías tomó su burro para ir de compras a la ciudad, pero antes de salir del pueblo entró en casa de un amigo y mientras hablaba con él dejó el burro solo en la calle. Un ladrón pasó por la calle y robó el burro de Tobías. Este, al darse cuenta, empezó a buscarlo por todo el pueblo. Por fin, en una casa encontró el burro; llamó a la puerta y cuando el ladrón la abrió Tobías le preguntó enfadado:

—¿Por qué has cogido mi burro?

El ladrón se disculpó diciendo que no sabía que el burro era de Tobías.

Tobías, más enfadado aún al oír esta disculpa, le dijo:

—Pero al menos, cuando lo cogiste, supongo que sabrías que el burro no era tuyo.

1.—¿Cuándo tomó Tobías su burro?

2.—¿A dónde quería ir Tobías?

3.—¿Para qué quería ir a la ciudad?

4.—¿A dónde fue antes de salir del pueblo?

5.—¿Dónde estaba el burro mientras Tobías y su amigo hablaban?

6.—¿Qué hizo Tobías al no ver el burro?

7.—¿Dónde encontró Tobías su burro?

8.—¿Qué preguntó Tobías al ladrón?

9.—¿Cómo se disculpó el ladrón?

10.—¿Qué dijo Tobías?

37

Tobías y su hijo pasaron una vez por delante de uno de esos parques de nudistas en los que la gente se baña, juega o toma el sol sin llevar nada encima.

Tobías tenía gran curiosidad por ver lo que hacía aquella gente que, según le habían dicho, iba de un lado para otro completamente desnuda, y se acercó a la tapia para mirar por encima de ésta; pero la tapia era demasiado alta y Tobías no podía ver nada.

Finalmente tuvo la idea de montar a su hijo sobre sus hombros para que éste pudiera mirar por encima de la tapia.

—Qué, dime. ¿Qué es lo que ves? ¿Son hombres o mujeres?

—¿Y cómo puedo saberlo—respondió el hijo de Tobías—, si no van vestidos?

1.—¿Por dónde pasaron una vez Tobías y su hijo?

2.—¿Que es un parque nudista?

3.—¿Cómo se baña la gente en estos parques?

4.—¿Por qué tenía interés Tobías en ver lo que hacía la gente en estos parques?

5.—¿Por qué Tobías no podía ver lo que hacía la gente en el parque?

6.—¿Qué hizo entonces Tobías?

7.—¿Para qué montó Tobías a su hijo sobre los hombros?

8.—¿Qué preguntó Tobías a su hijo?

9.—¿Qué respondió el hijo de Tobías?

38

La señora González *mandó* a su hijo menor Pablito a la tienda. El niño fue a la tienda y pidió un kilo de naranjas, dos kilos de manzanas, pan, un litro de leche y otras cosas que su madre le había escrito en un papel.

El dueño de la tienda le sirvió todo lo que la señora González había pedido y Pablito cogió las cosas y se fue para su casa.

Poco tiempo después la señora González entró en la tienda indignada y le dijo al dueño:

—Perdone, hace un rato ha vendido usted dos kilos de manzanas a mi hijo, las he pesado en casa y solamente había un kilo.

—Esas cosas no pasarían, señora—respondió tranquilo el vendedor—, si pesara también a su hijo antes y después de enviarlo a comprar.

mandar = enviar.

1.—¿A dónde envió la señora González a su hijo?

2.—¿Cómo se llamaba éste?

3.—¿Qué cosas tenía que comprar Pablito en la tienda?

4.—¿Cuántos kilos de manzanas compró?

5.—¿Qué pasó poco tiempo después?

6.—¿Qué le dijo la señora González al vendedor?

7.—¿Por qué estaba indignada la señora González?

8.—¿Qué contestó el vendedor?

9.—¿Por qué faltaba un kilo de manzanas?

39

El director general de una gran empresa cogió el teléfono para pedir un número con el que deseaba hablar.

Al otro lado del teléfono oyó una voz que dijo:

—Hola, viejo imbécil, ¿cómo estás?

Evidentemente se trataba de un cruce en la línea de teléfonos; pero el director, muy enfadado, gritó:

—¿Sabe usted con quién está hablando? Soy el director general de esta fábrica.

—Ah, ¿sí?—respondió la otra voz sin mostrar ninguna preocupación—. ¿Y usted sabe acaso quién soy yo?

—No—respondió extrañado el director.

—*Menos mal*—respondió la voz al otro lado del teléfono—. Ya sabía yo que no tenía ningún motivo para preocuparme.

Menos mal = afortunadamente, ¡qué bien!

1.—¿Qué hizo el director general de la fábrica?

2.—¿Qué pasó entonces?

3.—¿Qué se oyó al otro extremo del teléfono?

4.—¿Qué es lo que había pasado?

5.—¿Qué es un cruce de línea telefónica?

6.—¿Qué gritó el director?

7.—¿Por qué estaba enfadado el director?

8.—¿Qué respondió la voz al otro extremo de la línea telefónica?

9.—¿Qué respondió el director?

10.—¿Por qué no tenía motivos para preocuparse el hombre que estaba hablando con el director?

40

Cuando se casó Tobías se dio cuenta de que a su mujer no le gustaba nada trabajar y se pasaba todo el día acostada en la cama. Un día llegó a su casa Tobías y vio que su mujer no había hecho la limpieza ni había lavado la ropa. Al preguntarle por qué no había hecho su trabajo, ella le dijo:

—¿Para qué voy a cansarme limpiando y lavando si mañana volverá a estar todo sucio y tendré que hacerlo otra vez?

Tobías no dijo nada, pero a la hora de comer, cuando se sentaron a la mesa, Tobías no echó nada en el plato de su mujer.

Esta, sorprendida, le dijo que ella también tenía hambre y quería comer, como todo el mundo.

—¿Para qué quieres comer—le dijo Tobías—, si de todas maneras dentro de seis horas volverás a tener hambre?

1.—¿Cómo era la mujer de Tobías?

2.—¿Cómo se pasaba todo el día?

3.—¿Qué pasó un día cuando Tobías volvió a casa?

4.—¿Qué preguntó Tobías a su mujer?

5.—¿Qué le contestó a Tobías ésta?

6.—¿Por qué la mujer de Tobías no quería lavar ni limpiar?

7.—¿Qué hizo Tobías a la hora de comer?

8.—¿Qué le dijo su mujer cuando vio que Tobías no le daba de comer?

9.—¿Qué respondió Tobías?

41

Una vez un campesino muy ignorante llamado Emilio fue al médico. Al entrar en la casa fue recibido por la enfermera y antes de que ésta pudiera preguntarle nada, el campesino comenzó a quejarse de que le dolía la espalda, los brazos, que sentía dolores en el pecho, que tenía dolor de estómago, que no tenía ganas de comer y de otras muchas enfermedades.

La enfermera le dijo cuando terminó de hablar:

—Bien, entre en esa habitación y el doctor verá qué es lo que le pasa; pero, por favor, quítese el sombrero.

—Entonces es que usted no me ha entendido nada—respondió el campesino—porque la cabeza es lo único que no me duele.

1.—¿Cómo era el campesino?

2.—¿Cómo se llamaba?

3.—¿A dónde fue una vez?

4.—¿Por qué fue al médico?

5.—¿Quién lo recibió al llegar a casa del médico?

6.—¿De qué se comenzó a quejar a la enfermera?

7.—¿Qué le dolía al campesino?

8.—¿Qué le dijo la enfermera?

9.—¿Qué le respondió el campesino?

42

Tobías tenía fama en el pueblo de ser un hombre al que le gustaban mucho las mujeres y de *tener mucho éxito* con ellas. Una vez vino a visitarle a su casa una señora de otro pueblo y se sorprendió al ver a más de treinta niños corriendo y jugando por la casa.

Los niños estaban en la casa de Tobías porque era el cumpleaños del hijo menor de Tobías y los padres habían organizado una pequeña fiesta a la que fueron invitados todos los compañeros de escuela del pequeño Alfonso.

La señora, que conocía la fama de Tobías, creyó que todos los niños que estaban allí eran hijos de Tobías, y le dijo a éste:

—¿Pero cómo puede usted tener tantos niños con lo joven que es usted?

Tobías, divertido por la ingenuidad de la señora, contestó:

—Pues éstos son solamente los de casa, pero fuera tengo muchísimos más.

tener éxito con las mujeres = agradar, gustar a las mujeres.

1.—¿Qué fama tenía Tobías en el pueblo?

2.—¿Quién vino a visitarlo?

3.—¿Cuántos niños había en casa de Tobías?

4.—¿Qué hacían los niños?

5.—¿Por qué estaban allí todos aquellos niños?

6.—¿Quiénes eran estos niños?

7.—¿Qué pensó la señora al ver a tantos niños?

8.—¿Qué le preguntó a Tobías?

9.—¿Qué le respondió Tobías?

43

Por una de las calles de la ciudad pasaba un entierro muy lujoso. Un gran número de coches negros que llevaban flores y mucha gente que seguía detrás andando.

A los dos lados de la calle se habían juntado numerosas personas para ver el entierro. Entre ellas estaba Tobías, que acababa de llegar del pueblo y estaba asombrado de ver a tanta gente junta. Una señora que se encontraba al lado de Tobías le preguntó a éste:

—Perdone, ¿sabe usted quién es el que se ha muerto?

Tobías pensó algunos segundos y contestó:

—Pues seguro, seguro, no lo sé; pero apostaría cualquier cosa que es el que va en el primer coche.

1.—¿Por dónde pasaba el entierro?

2.—¿Quién iba en el entierro?

3.—¿Quién estaba en los dos lados de la calle?

4.—¿Quién estaba entre ellos?

5.—¿De dónde había venido Tobías?

6.—¿Por qué estaba maravillado Tobías?

7.—¿Qué le preguntó una señora?

8.—¿Qué respondió Tobías?

44

La señorita Lucía era la secretaria del señor Martínez. Este era el director de una gran fábrica y era un hombre alto y elegante y además soltero; por eso la señorita Lucía tenía la esperanza de casarse algún día con su jefe.

Un sábado por la tarde, poco antes de terminar el trabajo, el señor Martínez llamó a su secretaria y le dijo:

—¿Qué piensa usted hacer el domingo por la noche? ¿Piensa usted salir a cenar y a bailar con algún chico?

—Oh, no—respondió la señorita Lucía sonriendo amablemente—; pienso quedarme en mi casa; no tengo nada que hacer.

—Bien, me alegro; entonces trate de ser puntual el lunes por la mañana y no llegue tarde, como ha hecho las últimas semanas.

1.—¿Quién era la señorita Lucía?

2.—¿Quién era el señor Martínez?

3.—¿Cómo era el señor Martínez?

4.—¿Qué esperaba la señorita Lucía?

5.—¿Cuándo llamó el señor Martínez a su secretaria?

6.—¿Qué le dijo?

7.—¿Qué respondió la secretaria?

8.—¿Para qué pensó la señorita Lucía que su jefe le había preguntado lo que pensaba hacer el domingo por la noche?

9.—¿Pensaba la señorita Lucía salir a cenar y a bailar con algún chico?

10.—¿Qué dijo entonces el señor Martínez?

45

Un hombre que llevaba una maleta negra llamó a la puerta de un apartamento; abrió una joven rubia que le preguntó:

—¿Qué desea usted?

—Soy un vendedor de corbatas—dijo el hombre—; tengo corbatas muy bonitas. ¿Quiere usted comprar una, señorita?

—Lo siento—contestó la joven—; pero aquí sólo vivimos mi amiga y yo.

Cuando el vendedor se fue, la amiga, que había oído la conversación, se dirigió a la joven y le dijo muy asustada:

—¿Pero qué has hecho, no te das cuenta que ese hombre sabe ahora que vivimos dos chicas solas y puede venir cualquier noche a robarnos?

La muchacha se asustó mucho por lo que le dijo su amiga y *echó a correr* escaleras abajo hasta alcanzar al vendedor y le dijo:

—Debe usted saber que aunque *de día* estamos solas, *de noche* siempre hay en el piso varios hombres con nosotras.

echó a correr (perífrasis incoativa)=comenzó a correr.
de día=durante el día.
de noche=durante la noche.

1.—¿Quién llamó a la puerta del apartamento?

2.—¿Qué llevaba el hombre en la mano?

3.—¿Quién abrió la puerta?

4.—¿Qué dijo la joven rubia?

5.—¿Qué vendía el hombre?

6.—¿Qué le dijo el vendedor a la joven?

7.—¿Qué respondió la joven?

8.—¿Quién había escuchado la conversación entre la joven y el vendedor?

9.—¿Qué dijo la amiga?

10.—¿Qué hizo entonces la joven?

11.—¿Qué le dijo al vendedor cuando lo alcanzó?

46

Un famoso novelista encontró una vez en la calle a un viejo amigo de la escuela al que no veía desde hacía mucho tiempo. El novelista regaló un libro suyo al amigo escribiéndole en la primera página del libro lo siguiente: «A mi amigo Antonio Fernández, con gran aprecio y amistad». El amigo agradeció mucho el regalo y la dedicatoria.

Tres meses después, el novelista fue a una tienda de libros *de segunda mano* y se encontró el libro que había dedicado a su amigo Antonio tres meses antes. Sorprendido y enfadado compró el libro y lo envió de nuevo a su amigo escribiendo una nueva dedicatoria, que puso debajo de la primera: «Nuevamente al señor Antonio Fernández con mucho menos aprecio y amistad que la otra vez».

de segunda mano = usados, que no son nuevos.

1.—¿A quién encontró el novelista?

2.—¿Quién era el amigo?

3.—¿Desde cuándo no se veían?

4.—¿Qué le regaló el novelista a su amigo?

5.—¿Qué le escribió en la primera página del libro?

6.—¿Cómo se llamaba el amigo del novelista?

7.—¿Qué pasó tres meses después?

8.—¿Qué encontró el novelista en la tienda de libros de segunda mano?

9.—¿Qué hizo entonces el novelista?

10.—¿Qué escribió en el libro?

47

Una vez una señora, al pasar por una calle, encontró a un niño llorando en la puerta de su casa. La señora se acercó y le preguntó:

—¿Qué te pasa, guapo? ¿Por qué lloras? Dímelo a mí.

—Mi mamá—respondió el niño—, que es muy mala, se ha llevado mi gatito, lo ha metido en el agua y lo ha matado.

—Sí, verdaderamente es muy triste lo que te ha pasado—dijo entonces la señora—; pero tú tienes que pensar que los hombres no lloran y tú ya eres un hombre; además, como veo que eres un niño muy bueno y quieres mucho a los animales, te voy a comprar otro gatito y puedes venir a verlo a mi casa cuando quieras.

—No, si no lloro por eso—dijo el niño comenzando a llorar de nuevo—, es que mi mamá me prometió ayer que me dejaría matarlo a mí.

1.—¿A quién encontró la señora?

2.—¿Dónde lo encontró?

3.—¿Qué hacía el niño?

4.—¿Qué le preguntó la señora?

5.—¿Qué respondió el niño?

6.—¿Por qué decía el niño que su mamá era mala?

7.—¿Qué dijo entonces la señora?

8.—¿Qué respondió el niño?

9.—¿Por qué lloraba el niño?

10.—¿Quería mucho el niño a los animales?

48

Andrés, uno de los hijos de Tobías, iba todos los días a la escuela, como los demás niños del pueblo, para aprender a leer, a escribir y otras muchas cosas. Un día no aprendió la lección y ante el temor de que lo castigase el profesor *faltó a clase.* Pero el profesor escribió a Tobías informándole de que Andrés no había ido a clase aquel día y preguntándole si es que había estado enfermo. Como Tobías sabía que su hijo no había estado enfermo lo castigó para que no volviera a faltar a clase. Pero para que su hijo comprendiera bien la lección le dijo al mismo tiempo que lo castigaba:

—Créeme, hijo mío, que cuando te castigo siento el mismo dolor que tú.

—Sí—respondió el hijo—; pero no en el mismo sitio.

---

faltar a clase = no ir a clase.

1.—¿Quién era Andrés?

2.—¿A dónde iba todos los días?

3.—¿Qué aprendió en la escuela?

4.—¿Por qué faltó un día a clase?

5.—¿Qué hizo el profesor?

6.—¿Había estado Andrés enfermo?

7.—¿Qué hizo Tobías cuando supo que Andrés no había ido a clase?

8.—¿Qué le dijo Tobías a su hijo mientras lo castigaba?

9.—¿Qué respondió Andrés?

49

La pequeña María entró en la cocina de su casa y fue hacia su madre, que estaba preparando la comida:

—Mamá, dame dinero para un pobre hombre que está gritando en mitad de la calle.

La madre se metió la mano en el bolsillo, sacó cinco pesetas y se las dio a su hija diciéndole:

—Toma esto y dáselo al pobre hombre; pero ¿qué le pasa, por qué grita el pobre?

La pequeña rápidamente cogió el dinero, echó a correr y ya en la puerta de la cocina respondió:

—Porque vende helados y quiere que todos los niños que viven en esta calle lo sepan.

1.—¿Dónde entró la pequeña María?

2.—¿Qué estaba haciendo la madre de María?

3.—¿Qué le dijo a su madre?

4.—¿Cuánto dinero le dio la madre a su hija?

5.—¿Qué le dijo la madre a la pequeña María?

6.—¿Qué hizo entonces la niña?

7.—¿Qué contestó María a su madre?

8.—¿Por qué gritaba el hombre en la calle?

9.—¿Qué vendía este hombre?

10.—¿Para qué quería el dinero la pequeña María?

50

Víctor era el dueño de una sala de fiestas. Un día su amigo Antonio, que también tenía una sala de fiestas en la misma calle, *se puso a hablar* con él de sus negocios.

—No entiendo—dijo Víctor—cómo consigues que tu sala de fiestas esté siempre llena de gente, mientras que en la mía apenas gano lo suficiente para pagarle a los artistas.

—Todo es cuestión de propaganda—respondió Antonio enseñándole unos papeles—. ¿Has visto la publicidad del espectáculo que ahora tengo?

—Sí—respondió Víctor—, pero no me parece nada extraordinario.

—*Fíjate con atención*—dijo Antonio mientras le leía una de las hojas de propaganda—: «Esta noche, gran *espectáculo;* treinta bellísimas *bailarinas* vestidas con veinte lujosos vestidos.»

ponerse a hablar (perífrasis)=comenzar a hablar.
Fijarse con atención=mirar atentamente.
espectáculo=show.
bailarinas=chicas que bailan.

1.—¿Quién era Víctor?

2.—¿A quién encontró Víctor?

3.—¿Qué hicieron los dos amigos cuando se encontraron?

4.—¿Qué le dijo Víctor a Antonio?

5.—¿Por qué no ganaba dinero Víctor?

6.—¿Qué respondió Antonio?

7.—¿Qué le mostró a su amigo Víctor?

8.—¿Para qué eran los papeles?

9.—¿Qué respondió Víctor?

10.—¿Qué había escrito en las hojas de propaganda?

VOCABULARIO DE 750 PALABRAS

Este vocabulario no incluye los artículos, los numerales y ordinales, los nombres de los días de la semana, de los meses ni de los nombres propios. Tampoco se incluyen los femeninos y plurales de los nombres y adjetivos, pronombres o demostrativos, salvo en el caso que pudiera haber alguna confusión.

Las abreviaturas usadas son: n = nombre; v = verbo; ad = adjetivo; adv = adverbio.

A la lista de 750 palabras básicas se han añadido las siguientes: *báscula, cura, dentista, hippy, azafata, rugido, manada* y *gemelos.*

a
abajo
abierto
abrigo
abrir
abuelo
abundante
aburrir [-miento]
acabar
acercarse
acompañar
acostarse
además
adentro
admirar [-tivo]
adornar
advertir
agradecer
agua
aguantar
ahora
aire
alcalde
alcanzar
alegrarse
alegre [-gría]
algo
algún [-a]
almacenes
alquilar
allí
alto
alumno
amabilidad [-blemente]
    [-amable]
amigo
anciano
andar

animal
ante
antes
año
aparecer
apartamento
apenas
apetito
apostar
aprecio
aprender
aprovecharse
aquel [-lla]
aquí
árbol
ascensor
así
asiento
asombrado
asustado
atención
atrás
atropellar
aún
autobús
automóvil [-auto-
    movilista]
autor
avión
avisar
ayer
ayudar
azúcar
bailar
bailarina
bajar
bajo
bajo

bañador
bañarse
bar
barba
barrer
bastante
beber
biblioteca
bien
billete
blanco
bolsillo
bolso
bonito
borracho
brazo
broma
bueno
burro
buscar
caballero
cabello
cabeza
cada
caer
calidad
callar
calle
calor
cama
cambiar
cambio
caminar
camisa
campesino
campo
cansarse
cantar

cantidad
caro
carretera
casa
casar
casi
castigar [-castigo]
casualidad
causa
cazar [-ador]
celebrar
celos
cena
cenar
centro
cerca [-ano] [-a]
cerdo
cerrar
chico
chófer
cigarrillo
cine
ciudad
claro
clase
cliente
coche
cocinar
coger
colgar [-ado]
color
colorado
comentar
comentario
comenzar
comer [-ida]
cómodo
compañero
comparar
compartimento
completamente
compra
comprar
comprender
comprobar
con

conducir [-uctor]
confundir
conocer [-ido]
conseguir
contar
contento
contestar
continuo [-amente]
contra
convencer
conversación
conversar
copa
corbata
corto
correr
cosa
costar
costumbre
crecer
creer
criado
cruce
cual
cualquier
cuando
cuanto
cuarto
cubrir
cuenta
cuestión
cuidadoso
cuidar
cumpleaños
cura
curiosidad
dar
de
debajo
deber
decidir
dedicar [-se]
dedicatoria
dejar
delante
demás

demasiado
dentro
desconocer [-ido]
desconsoladamente
desde
desear
desesperado
desnudo
despacho
despedirse
despertar
después
destino
detener
detrás
devolver
día
difícil [-ultad]
dinero
dios
dirección
director
dirigir [-se]
disculpa
disculparse
discutir
disparo
disponer
disposición
distancia
divertir [-se]
doler
dolor
domicilio
don
donde
doña
dormir
duda
dudar
durante
edad
educación
educar
efectivamente
él [-ella, ellos, ellas]

elegante
elevado
embargo (sin)
empezar
empleado
encender
encima
encontrar
enfadarse [-ado]
enfermedad
enfermera
enfermo
enfrente
enseñar
entender
enterarse
entonces
entrada
entrar
entre
enviar
equipo
equivocar
escalera
esconder [-se] [-ido]
escribir
escritor
escuchar
escuela
ese
esfuerzo
espalda
espectáculo
esperanza
esperar
espléndido
esposo
estación
estadio
estado
estar
este
estómago
estudiar
evidentemente
exactamente

existir
éxito
extranjero
extrañado
extraordinario
fábrica
fácil
falta
faltar
fallar
fama
familia [-ar]
famoso
favor
felicitación
feliz
ferrocarril
fiesta
fijarse
fin
francés
frecuentemente
frío
fuego
fuera
fuerte
fumar
fusil
fútbol
futuro
ganar
ganas
gato
gemelo
general
gente
golpe
gordo
gracias
gran [-de]
gratis
gritar [-gritos]
grupo
guapo
guardar
gustar

haber
habitación
habitante
habitar
hablar
hacer
hacia
hambre
hasta
helado
hermano
hijo
historia
hoja
hombre
hombro
hora
hospital
hotel
hoy
humor
idea
idioma
iglesia
ignorante
imbécil
impedir
importar [-ante]
imposible
incluir
incómodo
indicar
indignar [-se]
informar [-se]
ingenuidad
inmediatamente
insistentemente
insistir
inteligente
intención
interesar
interior
inútil
invierno
invitar
ir

ironía	marido	nieve
irónico	más	ningún
jefe	matar	niño
jersey	mayor	no
joven	médico	noche
joya	medio	nombre
jugar	mejor	nosotros
juguete	menos	noticia
juntar	mes	novela [-ista]
junto	mesa	nuevo
kilo	meter	número
lado	miedo	nunca
ladrón	mientras	obligar
largo	minuto	obra
lección	mirar	ocupado
leche	mismo	ofender
leer	mitad	oficina
lejos	modelo	ofrecer
león	moderno	oído
letra	modo	oír
levantar [-se]	momento	ojo
libre	moneda	olvidar
libro	montaña	opinión
ligero	montarse	organizar
limpiar [-eza]	morir	orgulloso
línea	mostrar	oscuro
literatura	motivo	otro
litro	mucho	padre
loco	muerte	página
lugar	mujer	paisaje
llegar	mundo	palabra
lleno	música	pan
llevar	muy	pantalón
llorar [-os]	nacer	papel
llover	nación	para
maestro	nada	parada
maleta	nadar	paraguas
malo	nadie	parar
mamá	naranja	parecer [-ido]
mandar	natural [-mente]	pariente
manera	nariz	parque
manga	necesario	parte
mano	negocio	partido
manzana	negro	partir
mañana	ni	pasar
máquina	nieto	pecho

pedir
película
peligro
pelo
pena
pensar
pequeño
perder
perdonar
periódico
perfectamente
permiso
permitir
pero
persona
pertenecer
pesar
peseta
pie
piscina
piso
plato
playa
plaza
población
pobre
poco
poder
policía
poner
popular [-idad]
por
porque
portero
precio
preferir
preguntar
preocupación
preocupar [-se] [-ado]
preparar
prestar
primero
prisa
privado
probablemente
probar

problema
profesor
prometer
pronto
propaganda
próximo
pueblo
puente
puerta
pues
puntual
que
quedar [-se]
querer
quien
quitar
quizá
radio
rama
rápido [-amente]
rato
razón
realidad
recibir
recientemente
recordar
regalar
reír
relación
repetir
respeto
responder
respuesta
restaurante
resto
retrasar [-se]
reunión
rico
río
robar
rodilla
rojo
romper
ropa
roto
rubio

saber
sacar
sala
salir [-ida]
salud
saludar
salvaje
satisfecho
secretaria
seguir [-siguiente]
según
selección
selva
semana
sentar [-se]
sentir
señor
señorita
ser
serio
servicio
servilleta
servir
si
siempre
significar
silencio
simpatía [-ico]
sin
sinceridad
sino
sinvergüenza
siquiera
sitio
sobre
sol
solamente
solo
soltero
sombrero
sonar
sonreír
sorprender [-se]
sorpresa
subir
sucio

suelo
sueño
suficiente [-mente]
suponer
también
tampoco
tan
tanto
tapia
tardar
tarde (n. y ad.)
taxi
taxista
teatro
teléfono
telegrama
televisión
temer
temor
tener
terminar
terrón
tiempo
tienda
tierra
tímido [-amente]
tirar
tocar

todavía
todo
tomar
tono
tonto [-ería]
trabajar
traer
traje
tranquilamente
tranquilizar
tranquilo
tras
tratar [-se]
tren
triste
triunfar
tú
último
un, uno, una
único
universidad
usted
vacaciones
vacío
varios [-as]
vaso
vecino
velocidad

vendedor
vender
venir
ventana
ventanilla
ver
verano
verdad [-ero]
vergüenza
vestir [-ido]
vez
vía
viaje
viajero
vida
vino
visita
visitar
vista
vivir
volver
vosotros
vuelo
vuelta
y
ya
yo
zapato